NIGHT HEAD

GENESIS

1

George IIDA story

art You HIGURI

INHALT

Kapitel 1: Erinnerungen

DRIP
DER ALTE MISAKI...
... MIT SEINEN BESON-DEREN FÄHIG-KEITEN...
... IST ZU SEINER REISE AUFGE-BROCHEN.
DER BANNKREIS EXISTIERT NICHT MEHR.
IN DIESER NACHT ...
... WERDEN DIE BEIDEN BRÜDER FLIEHEN.

BLUBBER
WUÄÄH!
WUÄÄH!
WUÄÄH!
SCHON GUT, SCHON GUT.
HÖR AUF ZU WEINEN, NAOYA!
BLUBB
BLUBB

NAOTO HAT EINEN MITSCHÜLER ANGEGRIF-FEN...
... UND IHM EINE BLUTIGE NASE...
... VER-PASST!
ICH HAB ANGST!
TUSCHEL
DER IST JA ECHT UNHEIM-LICH!
ES WÄRE WOHL BESSER, WENN ER FÜR EINIGE ZEIT NICHT IN DIE SCHULE GINGE.
BLUBB

NAOTO... ALLE ER-ZÄHLEN LÜGEN ÜBER UNS!
WARUM HAST DU DAS GETAN, NAOYA?
WEIL ICH SCHRECKLICHE DINGE SEHE, WENN SIE MICH AN-FASSEN.
WAS SIEHST DU?
ICH SEHE IN IHRE HERZEN, SOBALD ICH SIE BERÜHRE.
ICH SEHE SO VIELE SCHLIMME DINGE DARIN...

ABER ICH KANN DOCH NICHT MEIN GANZES LEBEN LANG JEDE BERÜH-RUNG VERMEI-DEN!

NAOTO ...
... MÖCHTEST DU KUCHEN?
ES GIBT AUCH SAFT!
DU AUCH, NAOYA?
ICH WUSSTE ES.

KLIRR
ICH WUSSTE, DASS IN DIE LIMONADE EIN MEDIKAMENT GEMISCHT WAR...
RUMMS
DAS IST DIE BESTE LÖSUNG, GLAUBEN SIE MIR.
OH NEIN ...!

TAPP
NA-OYA!
NA-OTO!
BITTE VERZEIHT UNS...!
VERZEIHT ...
NAOTO ...
NAOYA ...
NAOMI!

M... MAMA?
LIEB-LING...
REISS DICH ZU-SAMMEN. FÜR MICH IST DAS AUCH NICHT LEICHT.
ABER ...
WOHIN WERDEN SIE GE-BRACHT?
NAOMI!
ICH WILL DAS NICHT!
SIE SOLLEN HIER-BLEIBEN!
DAS WILLST DU DOCH EIGENT-LICH...
... AUCH ...?
WHAP

LASST UNS RAUS!!
!
KLIRR

SCHNELL!
!
LASST... UNS...
WHUPP

ICH HATTE EINEN ALB-TRAUM ...
KLIRR
... IN DEM DIE STIMME MEINER WEINENDEN MUTTER NOCH LANGE NACHHALLTE...

RSHHHH

FLATTER
FLATTER
WHTT
NAOYA, WO BIST DU?!
WO BIN ICH HIER?!
RATSCH
NA-OYA!
NA-OYA!!

!
WO...
... IST NAOYA ?!

KLIRR
AH!

KLIRR
KLIRR

ZOSCH

ZOCK
ZOCK
ZOCK
ZOCK
ZIRRRR
UAAAAH!

NA-
OTO!
TAP

GNN

UNSERE ELTERN HABEN UNS EINFACH WEGGEGEBEN...!
JETZT HABEN WIR NUR NOCH UNS... SIE HABEN UNS WEG-GEGEBEN!

NAOTO ...!
VER-DAMMT!
JETZT REICHT'S!
SWOOSH
DAS IST UNGLAUB-LICH...!
H...
... HILFE!
NA-OTO!
VORSICHT, DOKTOR MIKURIYA!

NAOTO, HÖR ZU!
IHR KÖNNT NICHT NACH HAUSE ZURÜCK.
ICH BIN JETZT EUER VORMUND.
UND DAS HIER IST EUER NEUES ZUHAUSE.
IHR WERDET HIER MIT UNS LEBEN...!
NEIN!!

RUMMS
KHCHH
DOKTOR MIKURIYA!
NAOTO, DU UND NAOYA, IHR BLEIBT HIER...!
ZACK
!
NEIN.
WIR GEHEN HEIM.

KOMM ...
... NAOYA!
NAOTO ...
NAOYA!
GRAP
HEIM... WIR GE-HEN...
... HEIM ...!

ICH GEHE
MIT NAOYA
ZUSAMMEN
NACH HAUSE!
NACH
HAUSE...

DA-MALS...
... KONNTEN WIR DIESEN BANNKREIS MIT UNSEREN KRÄFTEN NICHT ÜBERWINDEN.
ABER ...
... DIES-MAL...
DIES-MAL...

RASCHEL
WAS IST, NAOYA?
ICH SEHE IHN!
DER ALTE MISAKI BE- OBACHTET UNS!

DIE REVO-LUTION ...

DIE BEIDEN SIND WICHTIG FÜR DIE GROSSE RE-VOLUTION...
... DIE BALD KOMMEN WIRD.

WHOMP

ALLES OKAY.
KOMM SCHNELL, NAOYA!
WIR SIND FREI! WIR KÖNNEN GEHEN, WOHIN WIR WOLLEN! DIE GANZE WELT STEHT UNS OFFEN!

...
JA.
ICH...
... BEFINDE MICH IN EINER ART RAUM-ZEIT-KRÜMMUNG, DIE DIE GRENZEN DES HIER UND JETZT SPRENGT.

DESHALB ERKENNE UND FÜHLE ICH SO VIELE UNTER-SCHIEDLICHE DINGE GLEICH-ZEITIG.

MITSUOKA
OH...
...
WAS IST, KAMIYA-SAMA?

ICH HATTE SOEBEN ...
... EINE FURCHTBARE ZUKUNFTSVISION.
EINE VISION VON DER AUSLÖSCHUNG DER MENSCHHEIT...
VROOOM

...
NAOYA!
DU HAST ...
... IMMER NOCH MICH.

ICH...

... HABE ANGST VOR DER FREIHEIT.

VOR DIESER FREIEN WELT, DIE SICH JENSEITS DES BANNKREISES ERSTRECKT...

NAOTO UND NAOYA ...
... KIRI-HARA.
DIE BEIDEN SIND GE-FÄHRLICH.

SEI SCHÖN BRAV...
... UND BLEIB IN MEINER NÄHE, HÖRST DU?
JA.
AH!
HM ...?
SCHWUPP
NA-OTO?

SOLL ICH NOCH ETWAS TROCKENEIS HINZUGEBEN?
ÄHM ... JA.
Naoya Kirihara! Naoya Kirihara!
Sie werden am Haupteingang erwartet.
... WENN MAN MAL EINEN MOMENT NICHT AUF DICH AUFPASST... WIE ALT BIST DU EIGENTLICH, HM?

AH!
WARTE DOCH!
DU WARST AUF EINMAL WEG.
ICH BIN GANZ NORMAL WEITER-GEGANGEN.
ホテルGOYA
SCHWUPP
WAS MEINST DU?

WOZU HAST DU DIE GEKAUFT?
DAS...
... WEISS ICH SELBST NICHT GENAU.
ICH HAB SIE GESEHEN ...
... UND MUSSTE SIE PLÖTZLICH HABEN.
ACH JA?
NA, DU HAST JA WIRKLICH 'NEN EXKLUSIVEN GESCHMACK.
HM.
FLAPP
WOHIN WILLST DU?
NUR DEN MÜLL RUNTERBRINGEN.
MACH DIR KEINE SORGEN, ICH BIN SCHLIESSLICH KEIN KLEINES KIND MEHR.

DA HAST DU RECHT.
BRINGST DU MIR 'NEN KAFFEE MIT?
WHAP
...
KLAR.
KLONK
SST
Caffe

KLICK
NA-OYA...
... KIRI-HARA?
...
WAS...

TAP
NG...
SPLOSH
!

GRAP
AH...

UAAAH!

NAOYA ?!
ZACK
ALLES OKAY?
NAOTO!

DU BLUTEST JA!
WO HAT SIE DICH ERWISCHT?
WO?!
WER BIST DU?!
WHAP
DU MONSTER!!
KYAH!
UHHH ...
TAUMEL
IHR SEID...
... WAHRE TEUFEL!
IHR WERDET DIE MENSCHHEIT VERNICHTEN...
... GENAU WIE KAMIYA-SAMA ES VORHERGESAGT HAT!

WARTE!
ZUCK
KA-
MIYA
...?

NEIN!
NICHT, NAOTO!
SIE IST SCHWACH.
DU DARFST DEINE KRÄFTE NICHT BEI IHR AN-WENDEN.
...

WIE...
... FÜHLST DU DICH?
GEHT SCHON.
VER-DAMMT!
WIE KONNTE DAS NUR PASSIE-REN?!
WER MAG DIESER KAMIYA ...
... WOHL SEIN?

DIESE FRAU HAT GESAGT ...
... WIR BEIDE WÜRDEN DIE MENSCHHEIT VERNICHTEN.
WIE HAT SIE DAS NUR GE-MEINT?
KEINE AHNUNG.
ABER ...
... ES MACHT MIR ANGST, DASS JEMAND UNS OFFENSICHT-LICH AUS DEM WEG RÄUMEN WILL ...

Kapitel 1: Erinnerungen – Ende

Kapitel 2: Die Prophezeiung

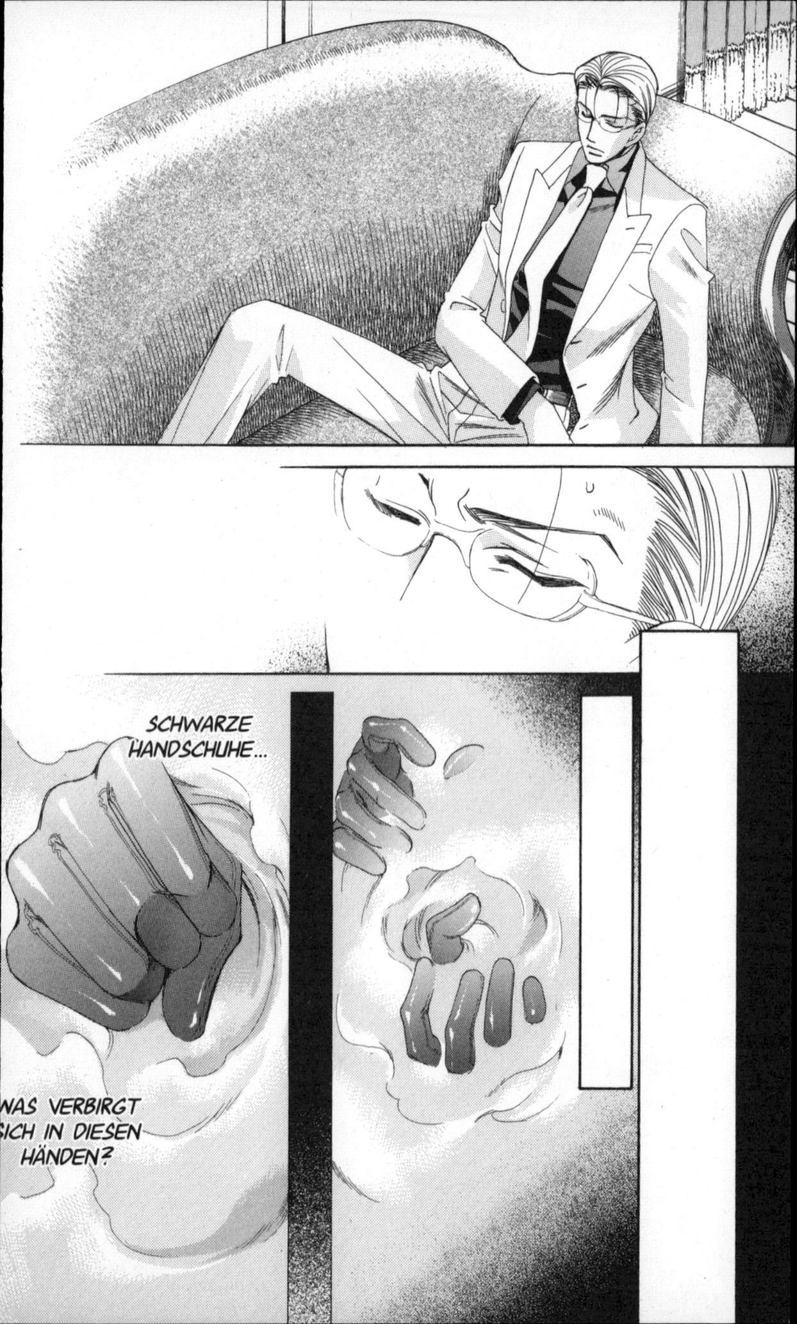
SCHWARZE HANDSCHUHE...
WAS VERBIRGT SICH IN DIESEN HÄNDEN?

LINKS EINE SILBERNE SCHLANGE ...
... UND RECHTS EIN GOL-DENER ELEFANT ...
DER TOD...
SWOSH

ZUCK
HFF
HFF
WAS HAT DIESE SONDER-BARE VISION ... ... NUR ZU BE-DEUTEN?
PLIN
SACHIE HAGA!
WAS IST PAS-SIERT?

VERZEIHUNG...
... DASS ICH IHNEN NICHT VON NUTZEN SEIN KONNTE...
... KAMIYA-SAMA.
ICH...
... ERINNERE MICH NICHT DARAN, SIE MIT DIESEM ANSCHLAG BEAUFTRAGT ZU HABEN.
ABER SIE SAGTEN DOCH...
... DASS DIE BEIDEN...
... MIT DER VERNICHTUNG DER MENSCHHEIT IN ZUSAMMENHANG STÜNDEN!
DAS ALLES IST SCHICKSAL.
SIE HABEN KEIN RECHT, IN DAS SCHICKSAL EINZUGREIFEN.

DAS ESSEN IST FERTIG.
MO-MENT!
JA...?
SIE WERDEN ES WIEDER TUN.
WAS ...?
D...DIE BRÜDER KIRIHARA ...?
ICH WEISS ES NICHT.
DAS KONNTE ICH NICHT ERKENNEN.
ABER ...
... WAS GESCHIEHT JETZT?
ICH LASSE SIE EINSPERREN.
DIE EINSAMKEIT...
... WIRD IHNEN GUTTUN.

...
...
DA IST ES!
大東
TSUKAS KAMIYA
ICH HABE HERAUSGE-FUNDEN...
Der große Prophet
Nostradamus
素顔に迫る
... DASS ER NEBEN SEINEM NORMALEN JOB AUCH NOCH DIE ZUKUNFT VOR-AUSSAGT.
ER SCHEINT...
... EIN HÄNDCHEN DAFÜR ZU HA-BEN UND HAT EINE MENGE GLÜHENDER ANHÄNGER.

DIESE FRAU MUSS EINE SEINER ANHÄNGERINNEN GEWESEN SEIN.
VERDAMMT!
GLAUBT ER ETWA, DURCH UNSERE ERMORDUNG KÖNNTE DIE AUSLÖSCHUNG DER MENSCHHEIT VERHINDERT WERDEN?!
DIESER MISTKERL!

HAST DU...
... SCHMERZEN?
NEIN ...
MIR IST NUR BEWUSST GEWORDEN...
... DASS ICH DIE HANDSCHUHE WOHL AUS DIESEM GRUND GEKAUFT HABE.
ICH HABE IRGENDWIE GESPÜRT, DASS ICH MEINE HÄNDE SCHÜTZEN MUSS.
GUT, DASS NICHTS GENÄHT WERDEN MUSSTE.
WÄRE SICHER EINE QUAL FÜR DICH GEWESEN, WENN DICH EIN ARZT BERÜHRT HÄTTE.

...
JETZT HAST DU EINE SCHICKSALSLIN MEHR.
AH!
EINE SCHICKSALSLINIE ...?
BRUDER...
... HÄLTST DU ES FÜR MÖGLICH, DASS DIE REVOLUTION...
IZUMI
... IN DER VERNICHTUNG ...
... DER MENSCHHEIT BESTEHT?

...
DAS KANN NICHT SEIN.
STIMMT.

ENT-SCHUL-DIGUNG ...
... IST TSUKASA KAMIYA ZU SPRECHEN?
HABEN SIE EINEN TERMIN?
NEIN.
DANN TRAGEN SIE HIER BITTE IHREN NAMEN UND IHRE ADRESSE EIN.
...
EIGENTLICH WOLLTEN WIR JETZT GLEICH ZU IHM.

SIND SIE ETWA ...
... NAOTO UND NAOYA KIRIHARA?
... JA.

13
PLING
GSHH

WELCH DENK-WÜRDIGER AUGEN-BLICK.
ICH BIN TSUKASA KAMIYA.
OPEN

...
WAS SOLL DIESER HANDSCHUH?
DIESE FRAU...
... WOLLTE MICH TÖTEN.
KONFERE RAUM
ICH WEISS. TUT MIR LEID.
TUN SIE DOCH NICHT SO, ALS WÜRDEN SIE NICHT DAHINTERSTECKEN!!
VERKAUFEN SIE UNS NICHT FÜR DUMM...!
NAOTO!
ICH HATTE EINE VISION VON DER VERNICHTUNG DER MENSCHHEIT.
IHR BEIDE SCHEINT DAMIT IRGENDWIE IN VERBINDUNG ZU STEHEN.
DAS HABE ICH IHR ERZÄHLT, MEHR NICHT.

WIR SOLLEN ...
... ETWAS MIT DER VERNICHTUNG DER MENSCHHEIT ZU TUN HABEN...?
VIELE SEHER SPRECHEN VON VISIONEN VOM ENDE DER MENSCHHEIT.
UNSERE VERNICHTUNG WIRD VON VIELEN VISIONÄREN UND RELIGIONSFÜHRERN VORHERGESAGT.
DAS WISSEN WIR. ABER...
... DER SCHWARZE FLUSS.
JA.
EINE KRANKHEIT...
EIN VIRUS...
MIR WIRD... SCHWARZ VOR AUGEN...

FLAPP
FLAPP
FLAPP
WHOFF
WAS ... ... HAST DU GE- SEHEN?

UNSER ENDE...
... STEHT WIRKLICH BEVOR!
HABEN SIE IHM DIESE VISION EIN-GEPFLANZT?
NEIN.
DAS WAR WIRKLICH DIE ZU-KUNFT!
BEEIN-DRUCKEND, DEINE FÄHIG-KEITEN.
UNSERE GEMEINSAME VISION HAT MEINE KRÄFTE OFFENBAR VERSTÄRKT...
... DENN ICH KONNTE KLARERE DETAILS ERKENNEN.

ABER WENN DIE MENSCHEN DURCH EINEN VIRUS STERBEN, WAS HABEN WIR DANN DAMIT ZU TUN?
ES IST DENKBAR, DASS IHR AUCH OHNE BÖSE ABSICHTEN MIT DER AUSBREITUNG DIESES VIRUS ZU TUN HABT.
SO WIE MANCHE ELTERN, DIE SPÄTERE MÖRDER ODER DIKTATOREN GROSSGEZOGEN HABEN.
H HABE GESAGT, ASS IHR TERBEN LLT. DER NSCHLAG R EINZIG D ALLEIN S WERK IESER FRAU.
UND DESHALB ...
... SOLLEN WIR STERBEN ?!
ABER SIE...
... HABEN ES ZUGELASSEN!
ES ZUZULASSEN...
... MACHT MICH NICHT ZUM SCHULDIGEN.
ICH HABE WEDER EINEN BEFEHL ERTEILT NOCH BESITZE ICH DIE AUTORITÄT, DINGE ZU VERHINDERN.
...
DAS IST GELOGEN.

SIE...
... WISSEN DOCH GANZ GENAU, WELCHE MACHT IHRE WORTE ÜBER ANDERE MENSCHEN HABEN!
IHRE VISIONEN MACHEN MENSCHEN ZU MÖR-DERN!
MEINE VISIONEN SIND NICHT MEHR ALS EIN WEGWEISER IN UNSERE ZUKUNFT.
ICH BENUTZE MEINE KRÄFTE EINZIG UND ALLEIN ZUM WOHL DIESER WELT.
GLAU-BEN SIE WIRKLICH, WIR LIESSEN DAS ZU?!
KLIRR

PLING
PLING

KRACK
RUMMS
SCHLUSS JETZT.
UNSER GE-SPRÄCH IST BEENDET.
GEHEN WIR, NAOYA.

EIN GOLDENER ELEFANT...
... UND EINE SILBERNE SCHLANGE...

WAS HAT DAS ZU BE-DEUTEN ...?
DIE ZEIT...
... LÄUFT RÜCK-WÄRTS...

Plötzliche Mutation
Während der Entwicklung eines neuen Medikaments!
?!

SO IST ES ALSO GE-SCHEHEN ...!
DIE ENT-STEHUNG DES VIRUS... DANACH HABE ICH DIE GANZE ZEIT ÜBER GESUCHT!
Kapitel 2: Die Prophezeiung – Ende

Kapitel 3: Zufällige Begegnung

ZZZZT
KLICKER
KLICKER
KURA-
HASHI-
SAN?
MOMENT
BITTE!

KLACK
ICH HATTE GERADE EINE UNGLAUBLICHE IDEE.
KLACK
WENN DIESES EXPERIMENT ZUR DEAKTIVIERUNG VON VIREN ERFOLGREICH IST, KÖNNEN WIR VIELLEICHT EIN MEDIKAMENT ENTWICKELN, DAS DAS HI-VIRUS AUSBREMST.
...
SIE HABEN ES ALSO VERGESSEN?
GRATT
ICH HABE DOCH EINTRITTSKARTEN FÜR LES MISÉRABLES...
... UND WOLLTE MIT IHNEN HINGEHEN ...
WAS?
ALSO WIRKLICH.
ENTSCHULDIGUNG... ABER ICH KANN HIER NICHT WEG!
TAP
W... WAS ...?
WAS HABEN SIE NUR GEGEN MICH?

NICHTS! WIR SIND SCHLIESS-LICH KOLLEGEN UND ARBEITEN GUT ZUSAM-MEN!
NICHT MEHR UND NICHT WENIGER!
HCH
ZACK
RUMMS
VER-DAMMT ...!
MÄNNER!
RRRING

RRRING
KLACK
ENTSCHULDIGEN SIE, DAS SIE WARTEN MUSSTEN.
ICH BIN FRAU KURAHASHI. SIE WOLLTEN MICH DRINGEND SPRECHEN?
JA...

NAOTO!
SIND SIE...
... KANAKO KURAHASHI?

J...JA.
WAS GIBT ES DENN...
... SO WICHTIGES?
SIE ENT-WICKELN...
... MEDIKA-MENTE?

?!
GLAUBEN SIE, ICH WÄRE BEFUGT, EINFACH SO DARÜBER ZU SPRECHEN?
SIE FORSCHEN...
... AN EINEM MITTEL, DAS VIREN UNSCHÄDLICH MACHT, NICHT WAHR?
NICHT WAHR?
DARAUF MUSS ICH NICHT ANTWORTEN.
WER SEID IHR ÜBERHAUPT...?

HABEN SIE SCHON EINMAL VON MENSCHEN GEHÖRT, DIE VISIONEN HA-BEN?
WENN ICH DARAN GLAUBEN WÜRDE ...
... WÜRDE ICH WOHL KAUM DIESEN JOB HIER MACHEN.
UND WIE ERKLÄREN SIE SICH DANN, DASS WIR ÜBER DEN INHALT IHRER FORSCHUNG BESCHEID WISSEN?
TJA... DAS WEISS ICH AUCH NICHT ...
BEENDEN SIE IHRE EXPERIMENTE SOFORT!
WENN SIE DAMIT FORT-FAHREN, WIRD DIE GANZE MENSCHHEIT STERBEN!

?!

NG...

HA HA HA HA!

WIE BITTE?

IHRE FORSCHUNG BEDROHT UNSER ALLER LEBEN!

BITTE GLAUBEN SIE MIR... WIR WOL-LEN SIE WARNEN!

ACH JA?

SO EIN UNSINN. VER-SCHWINDET!

AH ...

NAOTO!

KA-NAKO ...
... KURA-HASHI?
JA?
?!

KYAH!
NEIN!!
DAS IST FÜR KAMIYA-SAMA!!

KLONK
RUMMS

DAS IST DOCH...
... DIE-SELBE FRAU...
NG... NG...
ALLES OKAY?
GOTT SEI DANK!

VERSTEHST DU ES JETZT?
DU MUSST DEINE EXPERIMENTE ABBRECHEN!
DU BIST IN GEFAHR!
HÖRST DU?
KURAHASHI-SAN!
WAS IST PASSIERT?
GEHEN WIR, NAOYA!
M...MOMENT!
W...WAS WAR DENN LOS?
SCHNELL, RUFT DIE POLIZEI!

IN DIESEM AUGEN-BLICK...
... RAST DIE MENSCHHEIT IHREM ENDE ENTGEGEN.
DER SCHWARZE FLUSS...
... WIRD BREITER UND BREI-TER.
JUNKY

FFFFH
ICH HATTE NOCH EINE WEITERE TODES-VISION.
IN DER LINKEN, MIT EINEM SCHWARZEN HANDSCHUH BEKLEIDETEN HAND EINE SILBERNE SCHLANGE ...
... UND RECHTS EIN GOL-DENER ELE-FANT.
ZWEI MÄNNER... DER EINE GROSS, DER ANDERE KLEIN...
EIN TOTER AUF EINEM SCHWARZEN SOFA...
SENSEI ...
... DIESE BEIDEN MÄNNER ...
... SIND DAS NAOTO UND NAOYA KIRIHARA? UND WER SIND DIE TOTEN?
ICH WEISS ES NOCH NICHT GENAU.
NICE

KANN UNSER ENDE DENN DURCH KANOKO KURAHASHIS TOD VERHINDERT WERDEN...?
JA.
...
VER-LASSEN SIE...
... SICH GANZ AUF MICH, SENSEI!

WAS FÜR EIN SCHOCK!
WIE IST SIE NUR DURCH DIE SICHERHEITSKONTROLLE GEKOMMEN?
SO ETWAS WIRD SICH NIE GANZ VERHINDERN LASSEN.
M... MEINEN SIE WIRKLICH?
ABER DIESE VERRÜCKTE WURDE DOCH GESCHNAPPT!
WOBEI... ES IST SCHON SELTSAM, DASS DIE BEIDEN, DIE IHNEN GEHOLFEN HABEN, SPURLOS VERSCHWUNDEN SIND...
DIE BEIDEN HABEN DAMIT NICHTS ZU TUN.
DAS HAT DIE POLIZEI DOCH AUCH GESAGT.
LAUT BEWEISLAGE HABEN SIE...
... KEINE VERBINDUNG ZU DIESER FRAU.

SIE FIEL EINFACH IN OHNMACHT...
SELTSAME GESCHICHTE.
TADANO-KUN!
JA?
GLAUBEN SIE...
... AN ÜBERNATÜRLICHE KRÄFTE?
DAS IST DOCH KEINE FRAGE DES GLAUBENS.
SIE DENKEN ALSO, ES GIBT SIE?
WUSSTEN SIE, DASS DAS KONZEPT VON ZEIT UND RAUM...
... IN DER RELATIVITÄTSTHEORIE ÜBERRASCHENDE PARALLELEN ZU DEM AUFWEIST, WAS YOGA-MEISTER ÜBER IHRE MEDITATIONSERFAHRUNGEN BERICHTEN?
EIN.

ICH MEIN DAS ÜBE NATÜRLIC LÄSST SI
... LETZTEN ENDES DOCH NATURWISSEN-SCHAFTLICH ERKLÄREN.
HM, ICH VERSTEHE.
ABER ... ... ICH SELBST HATTE NOCH KEINE SOLCHEN ERLEBNISSE.
SOLANGE ICH ES NICHT MIT EIGENEN AUGEN SEHE, GLAUBE ICH ES NICHT.
MIT EIGENEN ... ... AUGEN ...
VER-STEHEN SIE ES JETZT?
HA!
KURA-HASHI-SAN... ... IST ALLES IN ORD-NUNG?
VIELLEICHT SOLLTEN SIE SICH DOCH FÜR EIN PAAR TAGE FREI-NEHMEN?

WAS...
... HALTEN SIE VON VISIONEN?
VISIONEN?
NUN, NOSTRADAMUS HATTE MIT SEINER VISION VOM WELTUNTERGANG IM JAHR 1999 JA SCHON MAL UNRECHT.
ER HATTE EINE VISION!
SIE DÜRFEN IHRE FORSCHUNG NICHT FORTSETZEN!
WAS...
... SOLL ICH DENN JETZT NUR TUN...?
PIEP

WAS?
RRRRING
ACH NICHTS. ICH GEHE EINE RAU-CHEN.
ICH GEH SCHON.
HALLO?
LABOR KURAHASHI HIER.
Schlie-ßen Sie Ihr Labor, sonst war das nicht der letzte Überfall!

SIE...?!
Man will Sie umbringen!
Bringen Sie sich in Sicherheit, solange Sie noch können!
Aber gehen Sie nicht nach Hause!
Sie müssen an einen sicheren Ort!
...
BITTE...
... ICH MUSS SIE SEHEN!
Kapitel 3: Zufällige Begegnung – Ende

Kapitel 4: Verwicklungen

SST
ホテル GOYA
HAB ICH UNTEN IM LADEN GEKAUFT.
ALS DANKESCHÖN FÜR EURE HILFE.

WUNDER-SCHÖN.
WAS?
DIE ROSE
ICH HAB NOCH NIE WELCHE BE-KOMMEN.
... HAB ICH... EINEM MANN AUCH NOCH NIE BLUMEN GESCHENKT.

...
ICH MÖCHTE ...
... GERN HÖREN, WAS IHR MIR NOCH ZU SAGEN HABT.
ICH HABE GESEHEN...
DASS ES ON IHNEN BHÄNGT, UNS EINE AMATISCHE ZUKUNFT VORSTEHT ER NICHT.
IHR WOLLT MIR ALSO WIEDER SAGEN, ICH MÜSSE MEINE FORSCHUNG BEENDEN?!
DABEI KÖNNTE ICH EIN MITTEL GEGEN AIDS FINDEN, WENN ALLES GUT LÄUFT!
KÖNNT IHR EUCH NICHT VORSTELLEN, DASS ICH DAS NICHT SO EINFACH AUFGEBEN KANN?!
WENN DU WEITERMACHST, WIRD ES ZU EINER ...
... SPONTANEN MUTATION DES VIRUS KOMMEN, DER SICH SCHNELL AUSBREITEN...
... UND DIE MENSCHEN VERNICHTEN WIRD.

...
!
ES GIBT NUR EINEN WEG, DAS ZU VERHINDERN... AUSSERDEM IST DEIN LEBEN IN GEFAHR.
WENN DU WEITERMACHST, WERDEN SIE WIEDER VERSUCHEN, DICH ZU TÖTEN. UND WER WEISS, OB WIR DICH DAS NÄCHSTE MAL NOCH RETTEN KÖNNEN.
ABER.
FÜR MICH BEDEUTET ES DIE HÖCHSTSTRAFE, MEIN FORSCHUNG Z BEENDEN!
DIE WIRD ÜBER DICH VERHÄNGT WERDEN, SOLLTEST DU WEITERMACHEN.
DURCH EINEN GEFÄHRLICHEN SEHER NAMENS TSUKASA KAMIYA.
BITTE VERTRAU UNS.
BRICH DEINE FORSCHUNG AB!

...
ICH MUSS DARÜBER NACHDENKEN.
WARTE!
GEH NICHT NACH HAUSE.
VERSTECK DICH AN EINEM SICHEREN ORT!
ABER WENN ICH TOT BIN, IST EURE ZUKUNFT DOCH GESICHERT!
WARUM MACHT IHR EUCH ÜBERHAUPT SORGEN UM MICH?
LASS MICH LOS!

DU MUSST NICHT STERBEN.
DADURCH WIRD DIE ZUKUNFT AUCH NICHT HELLER.
WENN ICH MEINE FORSCHUNG ABBRECHE ...
... IST MEINE ZUKUNFT SOWIESO ZAPPEN-DUSTER.
ICH WILL, DASS DU LEBST.
RUMMS

LIEB-LING?
STEH AUF, DAS FRÜH-STÜCK IST FERTIG!
LIEB-LING!
WO BLEIBST DU DENN?

WO... WO BIN ICH?!
WIE BITTE?
TAP
DAS IST...
... UNSER ZUHAUSE!
UNSER ZÜHAUSE?
W...WAS MACHST DU HIER?!
SAG NICHT ...
... DASS DU MICH NACH EINEM MONAT EHE SCHON SATT HAST?!

WIR SIND VER-HEIRATET?!
WAS HAST DU DENN? IN UNSEREM LEBEN HAT SICH DOCH SONST NICHTS VERÄNDERT.
MÖCH-TEST DU KAFFEE?
UND NAOYA?
O IST AOYA?
WIR SOLLTEN IHN BESSER VERGESSEN.
WAS?!
DAS HAST DU SELBST GESAGT.
DU WOLLTEST NICHT MEHR ÜBER IHN SPRECHEN.
DAS IST GE-LOGEN!
SO ETWAS WÜRDE ICH NIEMALS SAGEN!
DOCH.
DU LLTEST N AUS EINEM EBEN TREI-HEN...

NIE-MALS!!
KIRR
NICHT!
DIE GUTE TASSE... PASS DOCH AUF!
WO IST NA-OYA?
ICH WEISS ES NICHT.
DU HAST DOCH GESAGT...
RUMMS
NA-OTO!
NA-OYA!
NA-OYA!

NA-
OYA!

SCHWUPP
CHHHH

!
SST
OH...
WAS MACHST DU HIER?
DU SOLLTEST NICHT ALLEIN UNTER-WEGS SEIN.

ICH...
... HATTE MICH JA VERSTECKT...
... ABER DA ES SOWIESO NIRGENDS SICHER FÜR MICH IST...
... HAB ICH MIR JETZT EIN ZIMMER HIER GE- NOMMEN.
WEISST DU...
... WAS ES FÜR MICH BEDEU- TET, MEINE FORSCHUNG AUFZUGE- BEN?
ICH WERFE EI- NEN GROSSEN TEIL MEINES LEBENS EIN- FACH WEG!
WENN DU DAS NICHT TUST, WIRD DIE GESAMTE MENSCHHEIT VERNICHTET.
SCHON KLAR.
WILLST DU...
... NICHT MIT AUF MEIN ZIMMER KOMMEN?
GUT.

64
...
ICH LASSE MEINEN BRUDER UNGERN ALLEIN. ZU GEFÄHRLICH.
BITTE KOMM MIT!
ICH VERSPRECHE DIR AUCH, ALL MEINE FORSCHUNGSERGEBNISSE ZU LÖSCHEN!
...
ICH HATTE DA SO EINEN TRAUM ...
ICH AUCH.
TUT MIR LEID, DASS ICH DEINE LIEBLINGSTASSE...
... KAPUTT GEMACHT HABE.
!
DU WEISST WOHL IMMER GENAU, WAS DU WILLST.
JA.
DESHALB BRAUCHE ICH AUCH EINEN STARKEN MANN AN MEINER SEITE... EINEN WIE DICH!
SOLLEN WIR ES NICHT MITEINANDER VERSUCHEN?
ICH WEISS, DASS WIR UNS GERADE ERST KENNENGELERNT HABEN.
ABER OHNE MEINE FORSCHUNG BLEIBT MIR NICHTS... ICH BRAUCHE EINEN NEUEN SINN IN MEINEM LEBEN. EINE NEUE ZUKUNFT!

Kapitel 4: Verwicklungen – Ende

Kapitel 5: Mordversuch

WIEDER DIESE VISION ...?
ICH ERINNERE MICH...
DER GOLDENE ELEFANT, DER DURCH DEN HIMMEL GLEITET...
... UND...
... DIE SILBERNE SCHLANGE...
ZSHHHH
... IN DER SCHWARZ BEHANDSCHUHTEN HAND.

RRRRRING
RRRRING

RRING
...
JA?
ICH BIN'S.

SCHWUPP
JA, ICH WEISS.
WAS GIBT'S?

KANAKO KU-RAHASHI HAT MICH GERADE ANGERUFEN UND VERSPROCHEN, IHRE FORSCHUNG ABZUBRECHEN.
SIE WIRD ALLE DATEN LÖSCHEN.

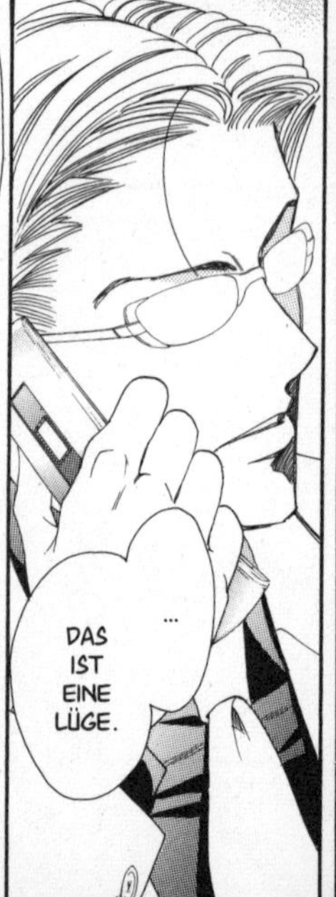
...
DAS IST EINE LÜGE.
WIR MÜSSEN ZU DRASTISCHEN MITTELN GREIFEN...
... UM DIE KATASTROPHE ZU VERHINDERN.
WENN IHR DIESE FRAU WEITER BESCHÜTZT, EBNET IHR DEM SCHWARZEN FLUSS DEN WEG!

ES MUSS EINEN WEG GEBEN... ... WIE DIE VERNICHTUNG DER MENSCHHEIT VERHINDERT WERDEN KANN, AUCH OHNE IHREN TOD!
HM
WIE NAIV!
Dann ist jedes weitere Wort wohl überflüssig.
EINEN MOMENT!
ICH HABE AUCH NOCH EINE FRAGE!
FÄLLT EUCH ETWAS EIN...
... ZU MEINER VISION VON DER SILBERNEN SCHLANGE, DEM GOLDENEN ELEFANTEN...
... DEM SCHWARZEN HANDSCHUH ...
... EINEM WEISSEN PULVER UND DEM TOTEN AUF DEM LEDERSOFA?

KLICK
Nein.
Das sagt mir alles nichts. Vielleicht sind Sie selbst ja der Tote?
WEISSES PULVER?
WAS KÖNN-TE DAS SEIN?
HM...

...?!
KAMIYA SPRACH AUCH...
... VON WEISSEM PULVER UND SCHWARZEN HANDSCHUHEN.
WEISS UND SCHWARZ...
WOLLTEN SIE SCHON MAL JEMANDEN AUS VERSCHMÄHTER LIEBE UMBRINGEN?
WAS ...?
PIEP
PIEP

PIIIEP
PIIIEP
PIEP!
KURA-HASHI-SAN!
WAS MACHEN SIE DENN DA?!
ZUCK
ZUCK
OH...
WAS IST DENN?
ICH SOLL MEINE VIRUSFORSCHUNG AUFGEBEN.
SONST DROHT EINE MUTATION DES VIRUS, DER DIE GESAMTE MENSCH-HEIT...
... VER-NICHTEN WIRD.
ALLES MEINE SCHULD ...
... LAUT EINER VISION...
DESHALB WOLLTE DIESE FRAU MICH AUCH UMBRINGEN.

IM ERNST ?!
JA. EIN SEHER HAT DAS SO VORAUS-GESAGT.
HA HA
SO EIN UNSINN!
... AH...!
WIR MÜSSEN REDEN.

WIE SEID IHR...
... HIER REINGE-KOMMEN?
GANZ EINFACH, MIT EINEM BERECHTIGUNGS-SCHEIN.
DIE SICHERHEITS-VORKEHRUNGEN HIER SIND NICHT GERADE UN-ÜBERWINDBAR.
WIE BITTE? WER SIND SIE ÜBERHAUPT?!
GANZ RUHIG, TADANO-KUN.
SIE SIND MEINE ÄSTE.

HAST DU DIE FORSCHUNG SCHON ABGEBROCHEN?
!
TA-DANO-KUN...
... BRINGEN SIE UNS BITTE ETWAS ZU TRINKEN.
AH...
JA-OHL.

TAP
ALSO?
SCHWANK
?!

?!
J... JA...
... NATÜR-LICH ...
HFF
HFF
HAH
ZITTER
HFF
KLIRR
HFF
HFF

RUMMS
...
!
WARUM LÜGST DU MICH AN?
AN-LÜGEN ...?
I...ICH HAB DIR DOCH GE-SAGT...
... DASS ICH ALLES GETAN HABE, WAS DU VERLANGT HAST!

HCH
...

DANKE.
HIER, BITTE.

SS-
BITTE.
...
ICH HABE ALLE, DATEN GE-LÖSCHT ...
DAS IST DIE WAHR-HEIT!

ZOOOM
UAH!
NAOYA?!
WAS IST?!

NAOTO ...
DIE DATEN SIND NOCH IM COMPUTER!
ICH HATTE EINE KLARERE VISION VON DER ZERSTÖRUNG ALS JE ZUVOR...!
!
WAS ERZÄHLT DER?
WIR MÜSSEN SCHNELL ETWAS UNTERNEHMEN, SONST ...
WAS HAST DU DENN?
ES GEHT GLEICH WIEDER!
DIE EPIDEMIE DURCH DEN MUTIERTEN VIRUS BREITE SICH VON HIER AUS AUS...
DU WIRST DICH UMBRINGEN, SOBALD DU ERKENNST, DASS ES NICHT MEHR AUFZUHALTEN IST!

WAS IST DAS...?! MEIN HALS...
?!

DAS WEISSE PULVER...!

TRINK DAS NICHT, NAOTO!
KLIRR
AH!

WIESO NICHT?!
DAS WEISSE PULVER... DER EISKAFFEE WAR VERGIFTET!
VER-GIFTET?
AH...
WAS IST DAS, TADANO?!
I...ICH DACHTE, SIE WÜR-DEN IHN AUS LIEBESKUMMER TÖTEN WOL-LEN...?
ÄH...
W...WAS SAG ICH DENN DA...?

ICH...
IRGEND-WIE IST MIR GANZ KOMISCH IM KOPF...
!
NA-OYA?
KLACK
!
WAS IST?

JE-
MAND...
... WAR
HIER.
ABER
JETZT IST
ER WEG.
...
NG...
NG-
GGG...!
AAAH!
WAS
HAT DAS
ALLES ZU
BEDEU-
TEN...?
IRGENDJE-
MAND HAT
DEINEN HASS
AUF MEINEN
BRUDER IN GE-
STEIGERTER
FORM...
...
AUF
IHN...
... ÜBER-
TRAGEN.

WER?! KAMIYA?
UAAAAAH!
ICH WEISS ES NICHT.
KANN SEIN.
ICH...
... WERDE ALSO WIRKLICH SCHULD SEIN AN DER ZERSTÖRUNG DER MENSCHHEIT...?
KLACKER
KLACKER
...
?!
KURAHASHI-SAN...
... WAS ...

ICH LÖSCHE DIE FORSCHUNGSDATEN.
ABER... DAS...
パスワードを入力してください
ICH GLAUBE EUCH!
Bitte geben Sie das Passwort ei
LOVE&PE
KLACK KLACK
LOVE&PEACE

Kapitel 5: Mordversuch – Ende

Kapitel 6: Vernichtung

File 058‥削除完了しま
K... KURA-HASHI-SAN!
WAS HABEN SIE DA NUR GETAN?!

STOLPER
!

VORBEI.
...
JA...
WER WAR DA BLOSS?
KEINE AHNUNG.

ÜBER WELCHE KRÄFTE MUSS MAN VERFÜGEN...
... UM ZU SO ETWAS IN DER LAGE ZU SEIN?
WIR SOLLTEN KAMIYA KONTAKTIEREN.
DIE ZUKUNFTSVISIONEN MÜSSTEN JETZT JA KORRIGIERT SEIN.
OH!

NAOTO! SO EIN MIST!
WAS DENN?

ICH HABE DIE HANDSCHUHE IM LABOR VERGESSEN!
NA UND?
LAUT MEINEN VISIONEN MUSS ICH SIE...
... DIE GANZE ZEIT ÜBER AN DEN HÄNDEN TRAGEN.

ABER ES SIND DOCH NUR HAND-SCHUHE! DU TUST JA GERADE SO...
?!
!
FLAPP FLAPP
FLAPP FLAPP

NA-OYA ?!
UAAAAH!!
SIE SIND IMMER NOCH DA!!
DIE BILDER DER ZER-STÖRUNG... ICH SEHE SIE IMMER NOCH...!
ABER WIE KANN DAS SEIN ?!
WIR MÜSSEN ZURÜCK!
DIE HAND-SCHUHE RUFEN MICH!

FHHH
RRRT
KLACKER
KLACKER
HUCH!
SCHWITZ
EPNSO
SCH... SCHON WIEDER ZURÜCK, KURAHASHI-SAN?
DAS GING JA SCHNELL.
NAS ACHEN E DA?

ICH...
... HABE DIE DATEN WIEDERHERGESTELLT.
WIEDERHERGESTELLT?! WELCHE DATEN?
DIE DATEN UNSERER VIRUSFORSCHUNG.
DENKEN SIE DOCH MAL NACH!
MÖGLICHERWEISE WERDEN WIR DAMIT AIDS HEILEN KÖNNEN!
WAS GLAUBEN SIE, WIE REICH UNS DAS MACHEN WIRD?
WARUM HÖREN S AUF DIES BEIDEN KERLE?
ICH KANN NICHT GLAUBEN, DASS SIE ALLE MÜHEN EINFACH SO ÜBER BORD WERFEN!
ICH FÜHRE DIE FORSCHUNG FORT, WENN SIE NICHT MEHR WOLLEN!
DAZU HABEN SIE KEIN RECHT! SIE SIND SCHLIESSLICH NUR...
... MEIN ASSISTENT!
DIE BEIDEN HABEN SIE MANIPULIERT
NUR DESHALB HABEN SIE ZUGESTIMMT, ALLES HINZUWERFEN!
DAS GANZE IST DOCH EIN BILLIGER TRICK!!
SCHLUSS JETZT!
DIE DATEN MÜSSEN GELÖSCHT WERDEN!

!
WAS...
STURES FRAUEN-ZIMMER!
WARUM HÖRST DU NICHT EINFACH AUF MICH?!
WARUM AUF SIE, NICHT AUF MICH?
WEIL DIE BEI-DEN...
... KEINE FEIGLINGE SIND, SO WIE DU!
LÖSCH JETZT ...
... SO-FORT...
SCHNAU-ZE!!
KYAH!
GRAP
DIE FOR-SCHUNGS-ERGEBNISSE SIND EINFACH ZU WERT-VOLL!

DIES-MAL.
... LAS-SE ICH MICH...
... NICHT MEHR UM DEN FINGER WICKELN!
DOMM
!
GANZ RUHIG!
N...
... NICHT!
AH...!

I...
...ICH BIN KEIN FEIGLING!
ICH LIEBE DICH DOCH ...
VER-DAMMT!
MPF ...!!
PFLOCK

DRIP
?!

GUAH!
SPLOOOSH
KYAH!
WA...
...WAS IST DAS ...?!
KANAKO KURAHASHI?

N...
... NICHT ...
... BITTE ...
ZACK
!!

AH...
RUMMS
HI...
... HILFE!
?!
WHAP
DIE BRÜDER KIRIHARA!
MIST-KERL!

?!
GADUSH
!
RUMMS
UAH!
WHOFF

IST ALLES OKAY?
JA...

MH...
MH...
MHH ...

AAHHH!
TATÜÜ
TATAA
DIE VISIONEN ...
... SIND VER-SCHWUNDEN.

DIE MENSCHHEIT IST GERETTET...
KLACKER
UFF!
!
SCHON WIEDER...
... DIESE BILDER...

DER...
... TOTE ...
DAS...

NA, TY-PISCH.
IMMER NOCH DIESES DAUER-GRINSEN ...
... OB-WOHL SIE MENSCHEN-LEBEN AUF DEM GEWISSEN HABEN.
...
ALSO IST KANAKO KURAHASHI TOT?
NEIN, SIE LEBT.
SIE IST NICHT GE-STORBEN.
ABER SEIT HEUTE MITTAG ...
... HABE ICH DIESE VISIONEN NICHT MEHR!
WER IST DENN DANN TOT?
IRGEND-JEMAND AUF EINEM SOFA...?
SA-KOTA?

NEIN. KURAHASHIS ASSISTENT TADANO.
WAREN SIE DENN NICHT SELBST VOR ORT?
WIE BITTE?
SIE HABEN IHN DOCH MANIPULIERT, DAMIT ER DEN KAFFEE VERGIFTET!
...
...
ER WAR ES NICHT.
VERGIFTETER KAFFEE?
DAS WAR ALSO DAS WEISSE PULVER...
UND WARUM IST DIESER TADANO JETZT TOT?

!
Die silberne Schlange war das Symbol dafür, nicht wahr?
Er wurde mit einem Pfeil getötet.
Ich habe auch die schwarzen Handschuhe Ihres Bruders gesehen...
Alles...
... wie von mir prophezeit!
Macht es Ihnen überhaupt nichts aus...
... dass Sie mehrere Menschenleben auf dem Gewissen haben?

ABER DIE MENSCH-
HEIT IST
GERETTET.
ZÄHLT DAS NICHT VIEL MEHR?

AH...
ICH HOFFE, WIR SEHEN UNS NIE WIEDER!
KOMM, NAOYA.
DER TOTE ...

Kapitel 6: Vernichtung – Ende

Kapitel 7: Andeutungen

EINEN MOMENT NOCH!
... EURE ELTERN WIEDER-SEHEN.
IHR WERDET ...
WAS... WIRK-LICH?!
... AUSSERDEM SEHE ICH SAND...

... UND EIN JUNGES ...
... MÄDCHEN ...
... EIN MÄD-CHEN?

DAS IST ...
... ALLES.
VIELLEICHT KONNTE ICH EUCH DAMIT JA EIN WENIG HELFEN.
WENN IHR ETWAS NEUES ERFAHRT, LASST ES MICH BITTE AUCH WISSEN.
!
WAS HAST DU? DU BIST SEIT VORHIN SO KOMISCH...
HAST DU ETWAS GESEHEN?
ETWAS ÜBER MEINE ZUKUNFT?
VERRAT ES MIR!

...
DER TOTE...
...
ICH GLAUBE, SIE KENNEN DIE ANTWORT BEREITS.
KOMM JETZT, NAOYA.
JA.
PASSEN SIE BESSER AUF!
DER GOLDENE ELEFANT FEHLT NOCH.

TAP
SINK
UFF...

GUTEN ABEND...
... KAMIYA-SENSEI.
WIE GEFÄLLT IHNEN MEINE KLEINE PRÄSEN-TATION?
SELT-SAMER TRAUM ...
WAS IST DAS NUR?
EIN GESCHENK VON MIR AN SIE.

SENSEI ...
WER SIND SIE?
ICH BIN SONEZAKI.
UND DAS IST ASANO-KUN.
ER VERFÜGT ÜBER DIE FÄHIGKEIT, ALLES, WAS ER SIEHT...
... IN SEINEM GEHIRN AUFZU- ZEICHNEN.
EIN MENSCH- LICHER VIDEORE- KORDER.
SPÜREN SIE...
... WIE ICH IHR BEWUSSTSEIN MANIPULIERE?

DIE SCHWARZEN HANDSCHUHE...
SICHER ...
... ER-INNERN SIE SICH.
DIE SILBERNE SCHLANGE...
RIESEL
... DAS WEIS-SE...
SIE HABEN DIE MENSCH-HEIT HEUTE VOR IHRER VERNICHTUNG BEWAHRT.
ZUR BE-LOHNUNG BEKOMMEN SIE DAS HIER.
DEN SÜS-SESTEN ZUCKER...
... DER WELT!

AAH!
RIESEL
MACH DEN MUND AUF!
KAMIYA ...
... DEINE AUFGABE IST HIERMIT ERFÜLLT.
DIE MENSCHEN WERDEN NICHT AN DIESEM VIRUS ZU GRUNDE GEHEN.
ACK

Der Täter war einer von Kamiya-senseis glühendsten Verehrern.
Kamiya-sensei selbst hat sich in seinem Haus vergiftet…
… weil er es vermutlich nicht verkraftet hat, in die Vorfälle verwickelt zu sein.
SINK
WAS?
ALSO IST ER …
… WIRKLICH TOT.
DAS WAR KEIN SELBSTMORD.
DAS HÄTTE ER NIEMALS GETAN.
IRGENDWAS IST DA PASSIERT.

ABER...
... WAS?
...
RRRRRING
WAS IST?
...
Kamiya ist also tot.
KANAKO KURAHASHIS ASSISTENT IST EBENFALLS ER-MORDET WOR-DEN. DIE POLIZEI SIEHT DA EINEN ZUSAMMEN-HANG.
ABER DIESEN SAKOTA HAST OFFENSICHT-LICH DU SO ZUGERICHTET. ERKLÄR MIR DAS.

HAT KAMIYA SICH UMGE-BRACHT?
DIE INDIZIEN WEISEN DARAUF HIN.
ALLERDINGS HAT EIN KIND IN DER NÄHE SEINES HAUSES EINEN MANN MIT SCHWARZEN HANDSCHUHEN BEOBACHTET.
DIE AUSSAGE EINES FÜNF-JÄHRIGEN DIENT JEDOCH NICHT ALS BEWEIS.
PFLOCK
Gab es bei euch nicht auch neulich einen Vorfall, bei dem es um Willens-manipulation ging?
!
BE-WUSST-SEINSKON-TROLLE ?!
POLICE

WER STECKT DAHINTER?
DIESER KERL...
... WAR IM FORSCHUNGSLABOR, ALS TADANO VER-SUCHTE, MICH MIT DEM EISKAFFEE ZU VERGIFTEN.
WIR HABEN IHN...
... GANZ KNAPP VER-PASST.

… Kamiyas Mörder sein.
ER HAT ENORME KRÄFTE.
WER IST DER KERL?
…
MICHIO SONEZAKI, BEFÜRCHTE ICH.
Sonezaki?
ER WAR EINE ZEIT LANG BEI UNS.
ALLERDINGS WISSEN WIR NICHT, WO ER SICH MOMENTAN AUFHÄLT.
SEID ALSO BITTE VORSICHTIG! ER WIRD EUCH SICHER WIEDER AUFSUCHEN.

WARUM SOLLTE ER?
Ich habe da so eine Vorahnung...
DEINE VISIONEN ...
. SCHEINEN IEDER MAL UZUTREF- FEN.
KLACK
...

NAOTO ...
... SEI BLOSS VOR-SICHTIG!
WAS FÜR EIN SPASS!
DU HAST ALLES AUF-GEZEICHNET, ASANO-KUN, UND HIERHER ÜBERTRAGEN.
NUR BEI DEN BEIDEN BRÜDERN IST ES NICHT GANZ NACH PLAN GE-LAUFEN...
DA MUSS ICH MIR ...
... WOHL ETWAS NEUES EINFALLEN LASSEN.

BIP
SO BALD WIE MÖGLICH, JA.
ICH HABE VERSTAN-DEN.
RRB

HO HO
HA...
HA HA HA HA!
HA HA HA HA HA HA HA HA!
...TO!
RSHHH
NAOTO!
NICHT!
DU DARFST NICHT STERBEN!
ICH...

... BIN SCHON EINMAL ZUM HIMMEL GEFLOGEN.
ICH FÜHLTE MICH SO FREI...
... DOCH IN WIRKLICHKEIT WAR ICH VON UNSICHTBAREN MAUERN UMGEBEN.

DA HÖRTE ICH NAOYAS STIMME.
ER RIEF MICH...

NAOTO...
VON MIKURIYA-SAN.
RASCHE
KAMIYAS AUFZEICHNUNGEN...
Naoto und Naoya
Visionen

Visionen
... ENORME KRÄFTE...
... SPALTUNG – ZWEI KÖRPER...
... BESTIEN, DIE DAS FLEISCH FRESSEN WOLLEN...
... EINE TRENNUNG FÜHRT ZU WAHNSINN UND TOD...
WAS SOLL DAS ALLES BEDEUTEN?
... IN DER DUNKELHEIT IST DIE REVOLUTION WEISS...

EINE TRENNUNG FÜHRT ZU WAHNSINN UND TOD... SIND WIR DAMIT GEMEINT?
BESTIEN, DIE DAS FLEISCH FRESSEN WOLLEN... BEZIEHT SICH DAS AUF UNSERE GEGENSPIELER?
BESTIEN ...
DANN IST ES ALSO NICHT NUR EINE PERSON.
DIE REVO-LUTION IST WEISS... WA KANN DAS BEDEUTEN?
HEISST DAS, DIE VERNICHTUNG DER MENSCHHEIT DURCH DEN VIRUS WAR GAR NICHT DIE REVOLUTION?
ALS ICH DAS WORT...
... ZUM ERSTEN MAL GEHÖRT HABE, HAT ES MIR GROSSE ANGST GEMACHT.

ABER ...
... EGAL, WAS IN ZUKUNFT PASSIERT ...
... WIR WERDEN ES NICHT VERHINDERN KÖNNEN.
IHR BEIDE SEID FÜR DIE KOMMENDE REVOLUTION...
... UNERLÄSSLICH!
NAOYA... VIELLEICHT HAT DIESER BANNKREIS ...
... UNS JA WIRKLICH NUR BESCHÜTZT?
BESTIEN, DIE DAS FLEISCH FRESSEN WOLLEN ...
Night Head Genesis 1 – Ende

Guten Tag, ich bin You Higuri. Ich habe die Charaktere für den Anime »Night Head Genesis« entworfen und war auch für den Manga verantwortlich.

Vielen Dank, dass Ihr diesen Band gekauft habt! Da ich sonst nur für Zeitschriften arbeite, die sich an ein weibliches Publikum richten, war ich, was den Auftrag des »Magazin Z« für »Night Head Genesis« anbelangte, zunächst ziemlich skeptisch. Aber ich habe viel dazugelernt!

So schwierig es auch ist, an einem so sorgfältig ausgearbeiteten Werk Kürzungen vorzunehmen, ich konnte es bedauerlicherweise nicht verhindern. Leider sind einige interessante Episoden dadurch weggefallen. Dennoch war die Arbeit stets das reinste Vergnügen!

Vielen Dank an alle, die daran mitgearbeitet haben: Sho Izumi, Naoko Nakatsuji, Nagofumi Onishi, Sho Akatsuki, Mitsuru Fuyutsuki, Akira Aizawa, Chief Oda und die ganze Redaktion des »Magazin Z«!

Offizielle Homepage von You Higuri:
http://www.diana.dti.ne.je/~higuri

Ein Wort des Autors

Ab 2005 erneut am Projekt »Night Head Genesis« zu arbeiten war für mich eine hervorragende Gelegenheit, mein bisheriges Schaffen zu rekapitulieren. Über 15 Jahre zuvor hatte ich die düstere Geschichte von Naoto und Naoya geschrieben, und es gelang mir tatsächlich, die beiden wieder zum Leben zu erwecken, ohne ihren Charakter zu verändern. Dies hat mich für zukünftige Projekte sehr ermutigt. Als »Night Head« dann als Realfilm umgesetzt wurde, konnte die Geschichte viele Fans dazugewinnen und ich hatte eine Menge wundervoller Erlebnisse und Begegnungen.
Eine davon war die mit You Higuri. Durch sie entstanden Naoto und Naoya ganz neu, und die Geschichte von »Night Head« erreichte eine Menge neuer Leser. Für mich als Autor ist das einfach wunderbar!

George Iida

Dieser Comic beginnt nicht auf dieser Seite. »Night Head Genesis« ist ein japanischer Comic. Da in Japan von »hinten« nach »vorn« gelesen wird und von rechts nach links, müsst ihr auch diesen Comic auf der anderen Seite aufschlagen und von »hinten« nach »vorn« blättern. Auch die Bilder und Sprechblasen werden von rechts oben nach links unten gelesen. Schwer? Zuerst ungewohnt, doch es geht schnell ganz einfach. Probiert es aus! Viel Spaß mit »Night Head Genesis«!

Deutsche Ausgabe/German Edition
1 2 3 4 14 13 12 11

Aus dem Japanischen von Alexandra Klepper
NIGHT HEAD GENESIS

First published in Japan in 2007 by Kodansha Ltd., Tokyo
Publication rights for this German edition arranged through Kodansha Ltd.
Redaktion: Britta Harms
Textbearbeitung: Heike Drescher
Lettering: Philip Homann
Herstellung: Tobias Hametner
Druck und buchbinderische Verarbeitung:
CPI – Ebner & Spiegel, Ulm

ISBN: 978-3-551-78516-9
Printed in Germany